BOOK BELONGS TO

INDEX

SCAN ME FOR FREE COLORING PAGES

RUSSIAN ALPHABET

RUSSIAN CHARACTER	ENGLISH EQUIVALENT	SOUND	LETTER NAME IN RUSSIAN	EXAMPLE
А	A	Like "a" in car	"ah"	"автомобиль" (car)
Б	B	Like "b" in bat	"beh"	"банан"(banana)
В	V	Like "v" in van	"veh"	"вино" (wine)
Г	G	Like "g" in go	"geh"	"год" (year)
Д	D	Like "d" in dog	"deh"	"дом" (house)
Е	YE	Like "ye" in yet	"yeh"	"еда" (food)
Ё	YO	Like "yo" in yonder	"yo"	"ёлка" (Christmas tree)
Ж	Zh	Like "s" in measure or pleasure or like "g" in beige (the colour)	"zheh"	"жизнь" (life)
З	Z	Like "z" in zoo	"zeh"	"звук" (sound)
И	EE	Like "ee" in see	"ee"	"идти" (to go)
Й	Y	Like "ee" in see	"ee kratkoyeh"	"ей" (he, she)
К	K	like "k" in boy or toy	"kah"	"кот" (cat)

3

Л	L	LIKE "L" IN LOVE	"EHL"	"лес" (forest)
М	M	Like "m" in man	"ehm"	"мама" (mom)
Н	N	Like "n" in nice	"ehn"	"ночь" (night)
О	Stressed: O	Like "o" in more	"oh"	"окно" (window)
П	Unstressed: P	Like "p" in pen	"peh"	"парк" (park)
Р	P	Like "r" in red	"ehr"	"река" (river)
С	Я	Like "s" in see	"ehs"	"солнце" (sun)
Т	S	Like "t" in table	"teh"	"топ" (top)
У	T	Like "u" in rule	"oo"	"улица" (street)
Ф	U	Like "f" in fine	"eff"	"фрукты" (fruits)
Х	KH	Like "kh" in Scottish "loch"	"kha"	"хорошо" (good)
Ц	TS	Like "ts" in cats	"tseh"	"цвет" (color)
Ч	CH	Like "ch" in chat	"cheh"	"чай" (tea)
Ш	sH	Like "sh" in ship	"sheh"	"шапка" (hat)
Щ	SHCH	Like "shch" in fresh cheese	"shcha"	"щука" (pike fish)
Ъ	Hard Sign	No sound, but affects preceding consonant	"tvyordiy znahk"	N/A
Ы	Y	Like the "i" in bit	"yery"	"сыр" (cheese)
Ь	Soft Sign	No sound, but softens preceding consonant	"myagkeey znahk"	N/A
Э	E	Like "e" in bet	"eh"	"этаж" (floor)
Ю	YU	Like "yu" in you	"yoo"	"юноша" (young man)

When write cursive version of the cursive characters used in russian hand written there are style changes
Red one's have significant changes when cursive handwritten.

А	Б	В	Г	Д	Е	Ё	Ж	З	И	Й	К	Л	М	Н	О	П	Р
а	б	в	г	д	е	ё	ж	з	и	й	к	л	м	н	о	п	р
А	*Б*	*В*	*Г*	*Д*	*Е*	*Ё*	*Ж*	*З*	*И*	*Й*	*К*	*Л*	*М*	*Н*	*О*	*П*	*Р*
а	*б*	*в*	*г*	*д*	*е*	*ё*	*ж*	*з*	*и*	*й*	*к*	*л*	*м*	*н*	*о*	*п*	*р*

С	Т	У	Ф	Х	Ц	Ч	Ш	Щ	Ъ	Ы	Ь	Э	Ю	Я
с	т	у	ф	х	ц	ч	ш	щ	ъ	ы	ь	э	ю	я
С	*Т*	*У*	*Ф*	*Х*	*Ц*	*Ч*	*Ш*	*Щ*	*Ъ*	*Ы*	*Ь*	*Э*	*Ю*	*Я*
с	*т*	*у*	*ф*	*х*	*ц*	*ч*	*ш*	*щ*	*ъ*	*ы*	*ь*	*э*	*ю*	*я*

5

FAMILY

Семья (sem-ja)

Mother /mom/
mère (mɛʁ)

Father / Dad /
Père (pɛʁ)

Grandmother /
Бабушка
(ba-bush-ka)

Grandfather / Дедушка
(de-dush-ka)

Son /
Сын (syn)

Daughter /
Дочь (doch)

RELATIONSHIP

Husband / Муж (muzh)

Friend / Друг
(drug)

Wife / Жена (zhe-na)

Aunt / Тётя (tjio-tja)

Uncle / Дядя
(dja-dja)

Nephew / Племянник
(ple-mjan-nik)

7

HUMAN BODY

Тело человека (te-lo che-lo-ve-ka)

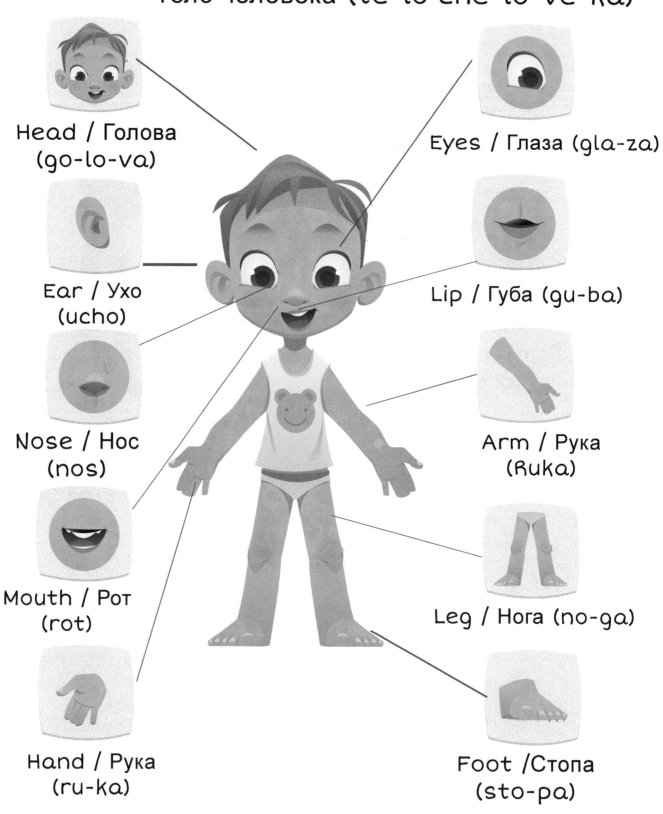

Head / Голова (go-lo-va)

Ear / Ухо (ucho)

Nose / Нос (nos)

Mouth / Рот (rot)

Hand / Рука (ru-ka)

Eyes / Глаза (gla-za)

Lip / Губа (gu-ba)

Arm / Рука (Ruka)

Leg / Нога (no-ga)

Foot /Стопа (sto-pa)

ANATOMY

Anatomie
(ah-nah-toh-mee)

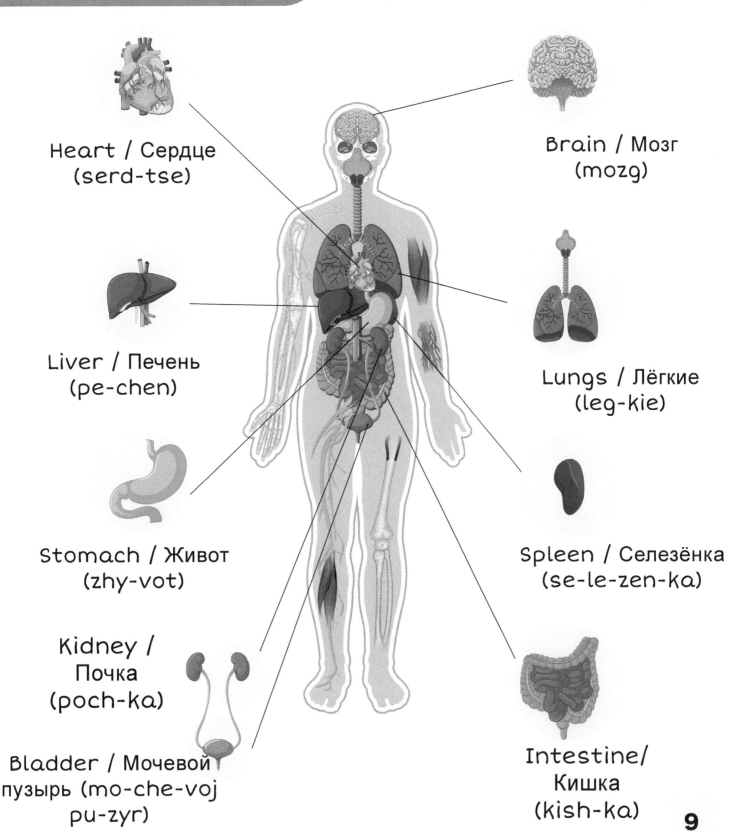

Heart / Сердце
(serd-tse)

Brain / Мозг
(mozg)

Liver / Печень
(pe-chen)

Lungs / Лёгкие
(leg-kie)

Stomach / Живот
(zhy-vot)

Spleen / Селезёнка
(se-le-zen-ka)

Kidney /
Почка
(poch-ka)

Intestine/
Кишка
(kish-ka)

Bladder / Мочевой
пузырь (mo-che-voj
pu-zyr)

9

EMOTIONS

Эмоции (emo-cii)

Happy /
Счастливый
(schast-li-vij)

Love /
Любовь
(lju-bov')

Sad /
Печальный
(pe-chal-nij)

Crying /
Плакать
(pla-kac)

Angry /
Злой
(zloj)

Fear /
Бояться
(bojat-sja)

Личные качества
(lich-ny-je ka-chest-va)

HONESTY

Honesty / Честность
(chest-nost')

The quality of uprightness and fairness. truthfulness, sincerity, or frankness. freedom from deceit or fraud

FAITH

Faith / Вера
(ve-ra)

Complete trust or confidence in someone or something

DISCIPLINE

Discipline/ Дисциплина
(dis-cyp-li-na)

The practice of training people to obey rules or a code of behavior, using punishment to correct disobedience

LOYALTY

Loyalty / Верность
(ver-nost')

Giving or showing firm and constant support or allegiance to a person or institutio

KIND

Kind / Добрый
(dob-ryj)

A group of people or things having similar characteristics

TRUST

Trust / Доверие
(do-ve-ri-je)

The state of being responsible for someone or something

TIME RELATE

Soon / Скоро (sko-ro)
Yesterday / Вчера (vche-ra)
Tomorrow / Завтра (zavt-ra)
Present / Настоящее (nas-to-jash-che-je)
Past / Прошлое (prosh-lo-je)

11

PETS

Домашние животные
(do-mash-ni-je zhi-vot-ni-je)

Dog / Собака
(so-ba-ka)

Cat / Кот
(kot)

Fish / Рыбка
(ryb-ka)

Bird / Птица
(pti-tsa)

Turtle / Черепаха
(che-re-pa-ha)

Rabbit / Кролик
(kro-lik)

GUESS?

H...............r
/..............к

12

WILD ANIMALS

Дикие животные
(di-ki-je zhy-vot-ny-je)

Tiger / Тигр
(tigr)

Lion / Лев
(lev)

Deer / Олень
(olen')

Elephant / Слон
(slon)

Monkey / Обезьяна
(o-bez-ja-na)

Bear / Медведь
(med-ved'))

 # BIRDS

Птицы
(pti-tsy)

Flamingo / Фламинго
(fla-min-go)

Parrot / Попугай
(po-pu-gai)

Peacock / Павлин
(pav-lin)

Eagle / Орёл
(o-riol)

Duck / утка
(ut-ka)

Owl / Сова
(so-va)

TIME

Время (vre-mja)

Hour / Час (tchas)

A period of time equal to a twenty-fourth part of a day and night and divided into 60 minutes.

Minute / Минута (mi-nu-ta)

A period of time equal to sixty seconds or a sixtieth of an hour

Second / Секунда (se-kun-da)

The second (s or sec) is the International System of Units (SI) unit of time measurement.

One second is the time that elapses during 9,192,631,770 (or 9.192631770 x 109 in decimal form) cycles of the radiation produced by the transition between two levels of the cesium-133 atom

REPTILES

Рептилии (rep-ti-lii)

Lizards / Ящерица
(jash-che-ri-tsa)

Snake / Змея
(zme-ja)

Komodo Dragon /
Варан (va-ran)

Chameleons /
Хамелеон
(ha-me-li-on)

Crocodiles /
Крокодил
(kro-ko-dil)

DID YOU KNOWN ?

Dinosaur also belongs to
reptiles

AMPHIBIANS

Земноводные
(zem-no-wod-ny-je)

Axolotl /
Аксолотль
(aks-so-lotl)

Frog /
Лягушка
(lja-gush-ka)

Toads / Жаба
(zha-ba)

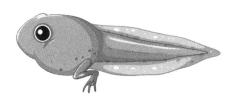

Tadphole / Головастик
(go-lo-vas-tik)

Salamander/
Саламандра
(sa-la-man-dra)

caecilians /
червяг
(cherv-yagi)

FACTS
A TADPOLE IS THE LARVAL STAGE IN THE BIOLOGICAL
LIFE CYCLE OF AN AMPHIBIAN

INSCETS

Насекомые
(na-se-ko-my-je)

Bee / Пчела
(ptche-la)

Wasp / Oca
(o-sah)

Dragonfly / Стрекоза
(stre-ko-za)

Fly / Муха (moo-kha)

Butterfly / Бабочка
(ba-botch-ka)

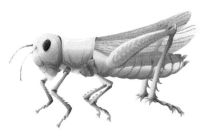

Grasshopper/
Кузнечик
(kuz-ne-tchik)

GUESS?

A..............
/ ....

A...........
/ M..............

18

MAMMALS

Млекопитающие
(mle-ko-pi-ta-jush-chi-je)

Bats /
Летучая мышь (le-tu-
tcha-ja mysh)

Platypus /
Утконос
(utko-nos)

Kangaroo /
Кенгуру
(ken-goo-roo)

Camels /
Верблюд
(verb-ljud)

Blue Whale /
Кит (kit)

FACTS

1. Whales are not fish. They are marine mammals, as are dolphins and porpoises. They are warm-blooded and breathe air like humans

2. Human / ser humano (sehr oo-mah-noh) humans are also mammals

19

DAIRY PRODUCTS

Продукты (pro-duk-ty)

Milk / Молоко
(mo-lo-ko)

Egg / Яйца (jaj-tsa)

MEAT

Viande (vee-and-deh)

Chicken /
Курица (ku-ri-tsa)

Pork /
Свинина
(svi-ni-na)

Beef/
Говядина
(go-vja-di-na)

SEA FOOD

Морские продукты (mors-ki-je pro-duk-ty)

Fried fish /
Жареная рыба
(zha-re-na-ja ry-ba)

Shrimp / Креветка
(kre-vet-ka)

Oyster / Устрица
(ust-ri-tsa)

Crab / Краб
(krab)

DRINK

Напитки (na-pit-ki)

Water /
Вода (vo-da)

Fruit juice /
Фруктовый сок
(fruk-to-vyj sok)

VEGETABLES

Овощи (o-vos-chi)

Carrots /
Морковь
(mor-kov')

Potato /
Картошка
(kar-tosh-ka)

Onion /
Лук (luk)

Mushrooms /
Грибы (gri-by)

Broccoli /
Брокколи
(brok-ko-li)

Tomato /
Помидор
(po-mi-dor)

FRUITS

Фрукты (fruk-ty)

Apple /
Яблоко
(jab-lo-ko)

Orange/
Апельсин
(a-pel'-sin)

Watermeleon /
Арбуз
(ar-buz)

Pineapple /
Ананас
(a-na-nas)

Pomegranate /
Гранат
(gra-nat)

Banana /
Банан
(ba-nan)

FOOD

Еда (je-da)

**Bread /
Хлеб
(hleb)**

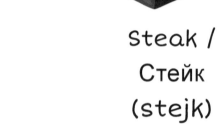

**Steak /
Стейк
(stejk)**

**Bacon /
Бекон
(be-kon)**

**Salad /
Салат
(sa-lat)**

**Burger /
Бургер
(bur-ger)**

**Ice cream /
Мороженое
(mo-ro-zhe-no-je)**

LANDSCAPES

Ландшафт (land-shaft)

Beach/
Пляж (pljazh)

Cliff/
Холм (holm)

Jungle /
Джунгли
(dzhun-gli)

Pound /
Пруд
(prud)

Mountain /
Гора
(go-ra)

Desert /
пустыня
(pusty-nya)

SEASONS

Поры года (po-ry go-da)

Spring /
Весна
(ves-na)

Summer /
Лето
(le-to)

Autumn /
Осень
(o-sen')

Winter /
Зима
(zi-ma)

WEATHER

Sunny/
Солнечно
(sol-nech-no)

Rain /
Дождь
(dozhd')

Snow /
Снег
(sneg)

Storm /
Шторм
(shtorm)

Fog /
Туман
(tu-man)

Cloudy /
Облачно
(ob-lach-no)

Wind /
Ветер
(ve-ter)

Tornadoes /
Торнадо (tor-na-do)
(tor-nad)

Rainbow /
Радуга
(ra-du-ga)

CLOTHING

Одежда (oh-dezh-da)

T-shirt /
Майка (maj-ka)

Sweater /
Свитер (swee-ter)

Pant /
Штаны
(shta-ny)

Socks /
Носки
(nos-kee)

Underwear /
Нижнее бельё
(nizh-ne-je bel'-jo)

Shoes /
Туфли
(toof-lee)

WOMEN CLOTHING

Женская одежда (zhen-ska-ja odezh-da)

Skirt /
Юбка
(jub-ka)

Heels /
Каблуки
(kab-lu-ki)

Blouse /
Блузка
(bluz-ka)

Bra /
Бюстгальтер
(bjust-gal-ter)

Panties /
Трусики
(tru-si-ki)

Earrings /
Серьги
(ser'-gi)

Ring /
Ожерелье
(ozhe-rel-je)

MEN CLOTHING

Мужская одежда (muzh-ska-ja o-dezh-da)

Suits /

Костюм

(kos-tum)

Watch/

Часы

(tcha-sy)

Hat /

Шляпа

(shlja-pa)

Glasses /

Очки

(och-kee)

Handkerchief /

Платок

(pla-tok)

Belt /

пояс

(po-yas)

SCHOOL

School / Школа (shko-la)

Assignments/
Задания
(za-da-ni-ja)

Book /
Книга
(kni-ga)

Pen / Ручка
(ruch-ka)

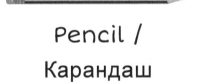

Pencil /
Карандаш
(ka-ran-dash)

Eraser /
Ластик
(las-tik)

Desk /
Парта
(par-ta)

Chalk board /
Доска
(dos-ka)

QUIZ 1

GUESS THE CORRECT ENGLISH TRANSLATION OF RUSSIAN SENTENCES

I.   **трава зеленая**

   a. white shoe
   b. The grass is green
   c. huge museum
   d. The dog is black

   ANS:

2.   **Высокий мужчина**

   a. short clown
   b. The blouse is green
   c. tall man
   d. The trees are green

   ANS:

MATCH THE FOLLOWING

Сейчас	Then
За все время	The day before yesterda
До	Always
Затем	Now
Позавчера	yet
Очередной раз	Before (a point in time)

HOUSE

Дом (dom)

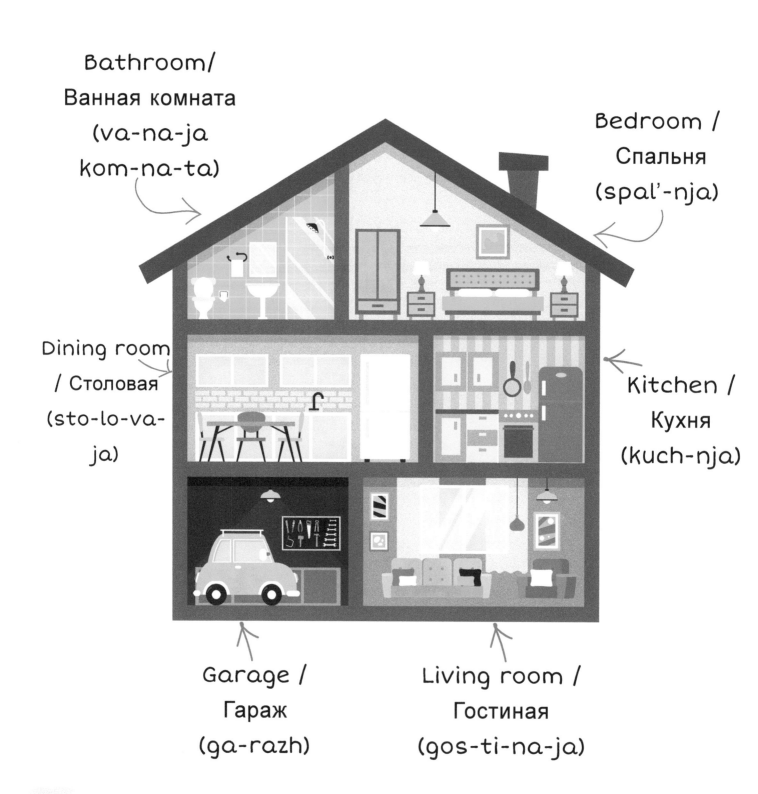

Bathroom/
Ванная комната
(va-na-ja
kom-na-ta)

Bedroom /
Спальня
(spal'-nja)

Dining room
/ Столовая
(sto-lo-va-
ja)

Kitchen /
Кухня
(kuch-nja)

Garage /
Гараж
(ga-razh)

Living room /
Гостиная
(gos-ti-na-ja)

KITCHEN ITEMS

Кухонная утварь
(ku-hon-na-ja ut-var')

Bottle / Бутылка
(bu-tyl-ka)

Bowl /
Миска (mis-ka)

Sink /
Раковина
(ra-ko-vi-na)

Knife / Нож
(nozh)

Mug / Кружка (kru-
zh-ka)

Apron / Фартук
(far-tuk)

LIVING ROOM ITEMS

Предметы гостиной
(pred-me-ty gos-ti-noj)

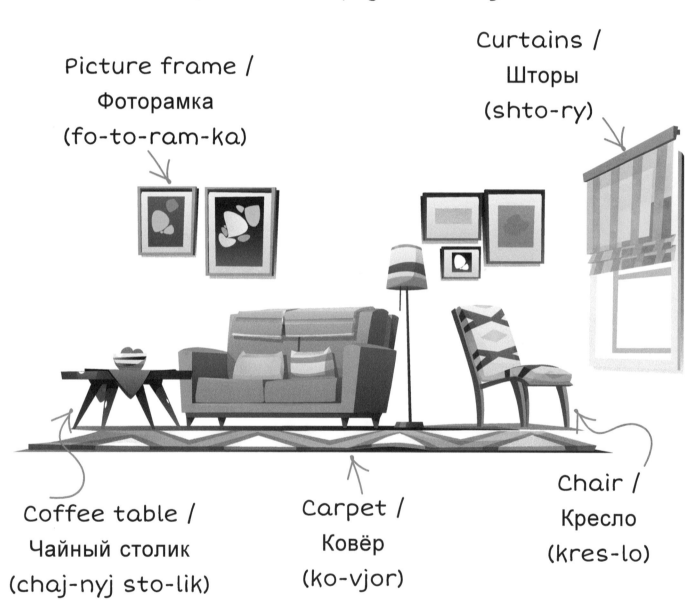

Picture frame /
Фоторамка
(fo-to-ram-ka)

Curtains /
Шторы
(shto-ry)

Coffee table /
Чайный столик
(chaj-nyj sto-lik)

Carpet /
Ковёр
(ko-vjor)

Chair /
Кресло
(kres-lo)

BEDROOM ITEMS

Вещи в спальне (ve-sh-chi v spal-nje)

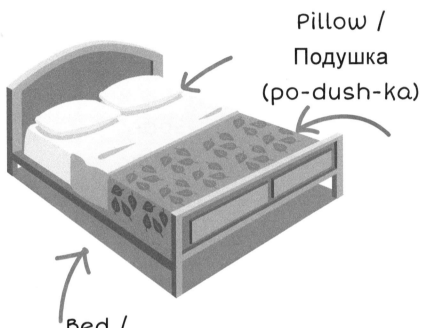

Pillow /
Подушка
(po-dush-ka)

Blanket /
Одеяло
(o-de-ja-lo)

Bed /
Кровать
(kro-vat')

Lamp/
Лампа
(lam-pa)

Wadrobe /
Шкаф
(shkaf)

Mirror /
Зеркало
(zer-ka-lo)

BATHROOM ITEMS

Предметы ванной комнаты
(pred-me-ty van-noj kom-na-ty)

Tap /
Кран
(kran)

Soap /
Мыло
(my-lo)

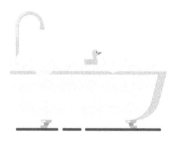

bathtub /
Ванная
(van-na-ja)

Toothpaste /
Зубная паста
(zub-na-ja pas-ta)

Toilet /
Туалет
(tu-a-let)

Toothbrush /
Зубная щётка
(zub-na-ja schet-ka)

Предметы столовой
(pred-me-ty sto-lo-voj)

Fork /
Вилка
(vil-ka)

Plate /
Тарелка
(ta-rel-ka)

Butter Knife /
Нож для масла
(nozh dlja mas-la)

Salt shaker /
Солонка
(so-lon-ka)

Candles /
Свечи
(sve-chi)

Dining table /
Обеденный стол
(o-be-den-nyj stol)

Wine glass /
Бокал
(bo-kal)

GARDEN

Сад (sad)

lawn mover /
Газонокосилка
(ga-zo-na-ko-sil-ka)

shovel /
Лопата
(lo-pa-ta)

grass/
Трава
(tra-va)

hoe/
Мотыга
(mo-ty-ga)

watering can /
Лейка
(lej-ka)

saw/
Пила
(pi-la)

CLEANING TOOLS

Постирочная
(pos-ti-roch-na-ja)

Broom/
Метла
(met-la)

Dust pan /
Совок
(so-vok)

Washing machine /
Стиральная машина
(sti-ral'-na-ja ma-shi-na)

Mop & bucket /
Швабра и ведро
(shvab-ra i ved-ro)

OUTDOOR SPORTS

Спорт на открытом воздухе
(sport na otkry-tom voz-du-he)

Tennis /

Теннис

(te-nis)

Basketball /

Баскетбол

(bas-ket-bol)

Golf /

Гольф

(gol'f)

Football /

Футбол

(fut-bol)

Baseball /

бейсбол (beys-bol)

Swimming /

Плавание (pla-va-nie)

Игры в помещении
(ig-ry v po-mes-che-nii)

Table tennis /

Настольный тенис

(nas-tol'-nyj te-nis)

Chess /

Шахматы

(shah-ma-ty)

Puzzle /

Паззлы

(paz-ly)

Board games /

Настольные игры

(nas-tol-ny-je ig-ry)

MEANS OF TRANSPORT

Транспорт (trans-port)

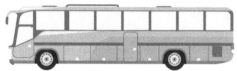

Bus /

Автобус

(av-to-bus)

Train /

Поезд

(po-ezd)

Aeroplane /

Самолёт

(sa-mo-ljot)

Car/

Машина

(ma-shi-na)

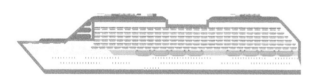

Ship/

Корабль

(ko-rabl')

Truck /

Грузовик

(gru-zo-vik)

Motorcycle/

Мотоцикл

(mo-to-cikl)

Ambulance/

Скорая помощь

(sko-ra-ja po-mosch)

AMUSEMENT PARK

Ярмарка (jar-mar-ka) -
Развлекательный парк
(raz-vle-ka-tel-nij park)

Water slide /
Водная горка
(vod-na-ja gor-ka)

Bumper cars /
Бамперные машинки
(bam-per-ny-je ma-shin-ki)

Roller coaster /
Американские горки
(a-me-ri-kans-ki-je gor-ki)

Ferris wheel /
Колесо обозрения
(ko-le-so o-boz-re-ni-ja) **45**

OCCUPATIONS

Профессии (pro-fes-sii)

Doctor/
Врач
(vrach)

Lawyer /
Адвокат (ad-vo-kat)

Police /
Полицейский
(po-li-tsej-skij)

Engineer /
Инженер
(in-zhi-ner)

Teacher /
Учитель
(u-chi-tel')

Fireman /
Пожарный
(po-zhar-nyj)

OFFICE

Boss / Босс
(boss)

A person who is in charge of a worker, group, or organization

Briefcase / Портфель
(port-fel)

A flat, rectangular container, typically made of leather, for carrying books and papers.

Client /
Клиент (kli-jent)

A person or organization using the services of a lawyer or other professional person or company

Factory /
Завод (za-vod)

A building or group of buildings where goods are manufactured or assembled chiefly by machine

Employ/ Наниматель
(na-ni-ma-tel')

Give work to (someone) and pay them for it.

TECHNOLOGY

Техника (teh-ni-ka)

Computer /
Компьютер
(komp-ju-ter)

Keyboard /
Клавиатура
(kla-vi-a-tu-ra)

Mouse /
Мышка
(mysh-ka)

Speaker /
Колонка
(ko-lon-ka)

Headphones /
Наушники
(na-ush-ni-ki)

Printer /
Принтер
(prin-ter)

MEDIA

Медиа (me-di-ja)

News / Новости
(no-vo-sti)

Newly received or noteworthy information,
especially about recent or important events.

Television / Телевидение
(te-le-vi-de-ni-je)

A device that receives television signal
and reproduces them on a screen

News paper / Газета
(ga-ze-ta)

A printed publication consisting of folded
unstapled sheets & containing news, feature articles,
advertisements, and correspondence

Radio / Радио
(ra-di-o)

Sound communication by radio waves,
usually through the transmission of music, news,
& other types of programs

Announcement / Объявление
(ob-jav-le-ni-je)

The action of making a formal statement

Article / Статья
(sta-tja)

A piece of writing included with others
in a newspaper, magazine, or other publication

SCIENCE

Наука (na-u-ka)

Physics /
Физика
(fi-zi-ka)

Physics is the branch of science that deals with the structure of matter and how the fundamental constituents of the universe interact

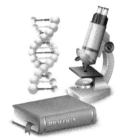

Biology /
Биология
(bi-o-lo-gi-ja)

Biology is the scientific study of life.

Chemistry / Химия
(hi-mi-ja)

Is the branch of science that deals with the properties, composition, & structure of elements and compounds, how they can change, & the energy that is released or absorbed when they change.

Atom / Атом
(a-tom)

An atom is the smallest unit of ordinary matter that forms a chemical element.

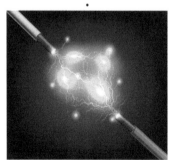

Electricity/ Электричество
(e-lek-tri-che-stvo)

A form of energy resulting from the existence of charged particles (such as electrons or protons), either statically as an accumulation of charge or dynamically as a current.

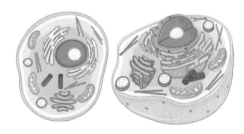

Cell / Клетка
(klet-ka)

In biology, the smallest unit that can live on its own and that makes up all living organisms and the tissues of the body.

ASTRONOMY

Астрономия (astro-no-mi-ja)

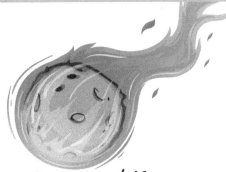

Comet / Комета (ko-me-ta)

Comets are cosmic snowballs of frozen gases rock, and dust that orbit the Sun.

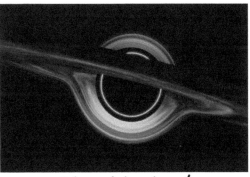

Blackhole / Черная дыра (cher-na-ja dy-ra)

A black hole is a region of spacetime where gravity is so strong that nothing – no particles or even electromagnetic radiation such as light – can escape from it.

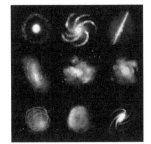

Universe / Вселенная (vse-len-na-ja)

The universe is all of space and time and their contents, including planets, stars, galaxies, and all other forms of matter and energy.

Planet / Планета (pla-ne-ta)

The universe is all of space and time and their contents, including planets, stars, galaxies, and all other forms of matter and energy.

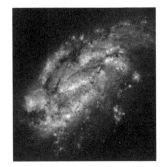

Galaxy / Галактика (ga-lak-ti-ka)

A system of millions or billions of stars, together with gas and dust, held together by gravitational attraction.

Sun / Солнце (soln-tse)

A fixed luminous point in the night sky which is a large, remote incandescent body like the sun. **51**

TRAVEL

Путешествия
(pu-te-shest-vi-ja)

Airport/ Аэропорт
(a-e-ro-port)

Passport /
Паспорт
(pas-port)

Luggage /
Багаж
(ba-gazh)

Conveyor belt /
Конвейерная лента
(kon-vej-jer-na-ja len-ta)

Tent /
Палатка
(pa-lat-ka)

Lounge /
Зал ожидания
(zal o-xhi-da-ni-ja)

DIRECTIONS

Направления
(na-prav-le-ni-ja)

North / Север
(se-ver)

West / Запад
(za-pad)

East / Восток
(vos-tok)

South / Юг
(jug)

Left / Лево
(le-vo)

Right / Право
(pra-vo)

Up / Вверх
(vverh)

Down / Вниз
(vniz)

SUPER MARKET

Супермаркет (su-per-mar-ket)

Bag /
Sac
(sak)

Shopping cart /
Тележка
(te-lezh-ka)

Snacks / Снеки
(sne-ki)

Discounts /
Скидки (skid-ki)

Checkout /
Касса (kas-sa)

PLANTS

Растения и деревья (ras-te-ni-ja i de-rev-ja)

Parts of a
PLANT

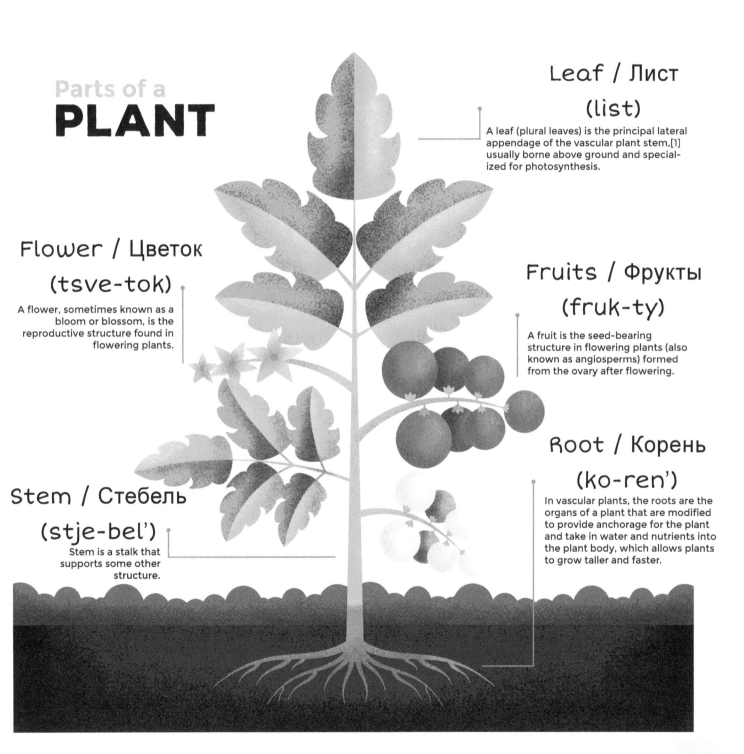

Leaf / Лист

(list)

A leaf (plural leaves) is the principal lateral appendage of the vascular plant stem,[1] usually borne above ground and specialized for photosynthesis.

Flower / Цветок

(tsve-tok)

A flower, sometimes known as a bloom or blossom, is the reproductive structure found in flowering plants.

Fruits / Фрукты

(fruk-ty)

A fruit is the seed-bearing structure in flowering plants (also known as angiosperms) formed from the ovary after flowering.

Root / Корень

(ko-ren')

In vascular plants, the roots are the organs of a plant that are modified to provide anchorage for the plant and take in water and nutrients into the plant body, which allows plants to grow taller and faster.

Stem / Стебель

(stje-bel')

Stem is a stalk that supports some other structure.

TOYS

Игрушки (ig-rush-ki)

Teddy bear /

Плюшевый медведь

(plju-she-vyj med-ved')

Doll /

Кукла

(kuk-la)

Toy car /

Машинка

(ma-shin-ki)

Marbles /

Шарики

(sha-ri-ki)

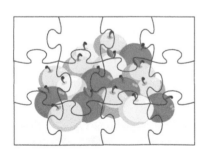

Jigsaw puzzle /

Мозаика

(mo-zaj-ka)

Rattle /

Погремушка

(pog-re-mush-ka)

BIRTHDAY

День Рождения (den' rozh-de-ni-ja)

Cupcake /

Капкейк

(kap-kejk)

Candy /

Конфеты

(kon-fe-ty)

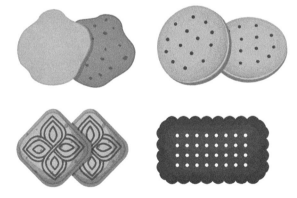

Biscuits /

Печенье

(pe-chen'-je)

Popcorn /

Попкорн

(pop-korn)

RESTAURANT

Ресторан (res—to-ran)

Bar /

Бар (bar)

Coffee shop / Кафе

(ka-fe)

Menu / Меню

(mje-nju)

Tip / Чаевые

(cha-je-vy-je)

Waiter /

Официант

(o-fi-ci-ant)

HOSPITAL

Больница (bol'-ni-tsa)

Blood / Кровь
(krov')

Bandage /
Повязка (po-vjaz-ka)

Nurse /
Медсестра
(med-ses-tra)

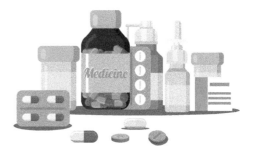

Medicine / Медицина
(me-di-ci-na)

Wheelchair / Кресло-каталка
(kres-lo ka-tal-ka)

X-ray / Рентген
(rent-gen)

MUSICAL INSTRUMENT

Музыкальные инструменты
(mu-zy-kal-ny-je inst-ru-men-ty)

Cello/ Виолончель

(vi-o-lon-chel')

Trumpet /
Труба
(tru-ba)

Drums /
Барабаны
(ba-ra-ba-ny)

Guitar /
Гитара
(gi-ta-ra)

Saxophone /
Саксофон
(sak-so-fon)

Flute /
Флейта
(flej-ta)

FARM

Ферма (fer-ma)

Farmland/
Сельхозугодия
(sel'-hoz-u-go-di-ja)

Beehive /
Улей (u-lej)

Windmill /
Мельница
(mel'-ni-tsa)

Cow /
Корова
(ko-ro-va)

Sheep / Овцы
(ov-tsy)

FESTIVALS

Праздники (prazd-ni-ki)

Hanukkah /
Ханука
(ha-nu-ka)

Thanksgiving /
День благодарения
(den' bla-go-da-re-ni-ja)

Christmas /
Рождество
(rozh-dest-vo)

Halloween /
Хэлуин
(he-lu-in)

CHRISTMAS HOLIDAY

Рождество (rozh-dest-vo)

Stockings /
Чулки
(chul-ki)

Ornaments /
Гирлянды
(gir-ljan-dy)

Candy cane /
Леденец
(le-de-nets)

Gift / Подарок
(po-da-rok)

SHAPES

Фигуры (fi-gu-ry)

Triangle /
Треугольник
(tre-u-gol'-nik)

Circle /
Круг
(krug)

Rectangle /
Прямоугольник
(prja-mo-u-gol'-nik)

Cone/
Конус
(ko-nus)

Pentagon /
Пятиугольник
(pja-ci-u-gol'-nik)

Square /
Квадрат
(kvad-rat)

LIFE EVENTS

Жизненные события (zhiz-ne-nny-je so-by-ti-ja)

Born /

Рождение

(rozh-de-ni-je)

Death /

Смерть

(smert')

Grow /

Взросление

(vzros-le-ni-je)

Graduate /

Выпуск

(vy-pusk)

Immigrate /

Иммиграция

(im-mig-ra-ci-ja)

Wedding /

Свадьба

(svad'-ba)

OPPOSITE WORDS

Противоположности (pro-ti-vo-po-lozh-no-sti)

Arrival-departure	Прибытие (pri-by-ti-je) - отправление (ot-prav-le-ni-je)
Defeat-victory	Проигрыш (pro-ig-rysh) - победа (po-be-da)
Lose-win	Проигрыш (pro-ig-rysh) - победа (po-be-da)
Odd-even	Нечетный (nje-chjot-nyj) - четный (chjot-nyj)
Yes-no	Да (da) - нет (njet)
Young-old	Молодой (mo-lo-doj) - старый (sta-ryj)
Allow-forbid	Разрешить (raz-re-shit') - запретить (zap-re-tit')
Arrest-free	Арестовать (a-res-to-vat') - отпустить (ot-pus-tit')
Cheap-expensive	Дешёвый (de-shjo-vyj) - дорогой (do-ro-goj)

ADJECTIVES   Прилагательные (pri-la-ga-tel'-ny-je)

Good	Хороший (ho-ro-shyj)
New	Новый (no-vyj)
First	Первый (per-vyj)
Last	Последний (pos-led-nij)
Long	Длинный (dlin-nyj)
Big	Большой (bol'-shoj)
Little	Маленький (ma-len'-kij)
Own	Свой (svoj)
Other	Другой (dru-goj)
Old	Старый (sta-ryj)
Right	Правильный (pra-vil'-nyj)
Big	Большой (bol'-shoj)
High	Высокий (vy-so-kij)
Different	Другой (dru-goj)
Small	Маленький (ma-len'-kij)
Large	Огромный (og-rom-nyj)
Next	Следующий (sle-du-jush-chij)
Early	Ранний (ran-nij)
Young	Молодой (mo-lo-doj)
Important	Важный (vazh-nyj)
Few	Некоторый (ne-ko-to-ryj)
Public	Общественный (obs-chest-ven-nyj)
Bad	Плохой (plo-hoj)
Same	Похожий (po-ho-xhij)
Able	Возможный (voz-mozh-nyj)

ADVERBS

Наречия (na-re-chi-ja)

Up	Вверх (vverch)
So	Итак (i-tak)
Out	Из (iz)
Just	Только (tol'-ko)
Now	Сейчас (sej-chas)
How	Как (kak)
Then	Потом (po-tom)
More	Больше (bol'-she)
Also	Также (tak-zhe)
Here	Здесь (zdes')
Well	Хорошо (ho-ro-sho)
Only	Только (tol'-ko)
Very	Очень (o-chen')
Even	Даже (da-zhe)
Back	Назад (na-zad)
There	Здесь (zdes')
Down	Вниз (vniz)
Still	Еще (jesh-cho)
In	В (v)
As	Так (tak)
Too	Слишком (slish-kom)
When	Когда (kog-da)
Never	Никогда (ni-kog-da)
Really	Действительно (dejst-vi-tel'-no)
Most	Самый (slish-kom)

VERBS

Глаголы (gla-go-ly)

To be	Быть (byt')
To have	Иметь (i-met')
To do	Делать (de-lat')
To say	Сказать (ska-zat')
To get	Получить (po-lu-chit')
To make	Делать (de-lat')
To go	Идти (id-ti)
To know	Знать (znat')
To take	Взять (vzjat')
To see	Видеть (vi-det')
To come	Прийти (prid-ti)
To think	Думать (du-mat')
To look	Смотреть (smot-ret')
To want	Хотеть (ho-tet')
To give	Давать (da-vat')
To use	Использовать (is-pol'-zo-vat')
To find	Найти (naj-ti)
To tell	Сказать (ska-zat')
To ask	Спросить (spro-sit')
To work	Работать (ra-bo-tat')
To seem	Казаться (ka-zat'-sja)
To feel	Чувствовать (chuv-stvo-vat')
To try	Пробовать (pro-bo-vat)
To leave	Уходить (u-ho-dit')
To call	Звонить (zvo-nit')

RUSSIAN LEARNING QUIZ

MATCH THE COLORS: BOTH SIDES

Draw lines to match colors on both sides both english & Russian colors are miss matched, so draw lines. Find answers on back page of the book

English		Russian
YELLOW	⬛	АПЕЛЬСИН (APEL'SIN)
RED	⬛	СИНИЙ (SINIY)
ORANGE	⬜	КРАСНЫЙ (KRASNYI)
BLUE	⬜	ЖЕЛТЫЙ (ZHELYTYI)
GREEN	⬛	ЗЕЛЕНЫЙ (ZELENYI)
BROWN	⬛	ФИОЛЕТОВЫЙ (FIOLETOVYI)
PURPLE	⬛	ЧЕРНЫЙ (CHERNYI)
PINK	⬛	РОЗОВЫЙ (ROZOVYI)
BLACK	⬛	КОРИЧНЕВЫЙ (KORICHNEVYY)
WHITE	⬛	БЕЛЫЙ (BELYI)
GRAY	⬜	СЕРЫЙ (SERYI)

RUSSIAN NUMBERS

0	НОЛЬ (NOL') OR НУЛЬ (NUL')
1	ОДИН (ODIN)
2	ДВЕ (DVE)
3	ТРИ (TRI)
4	ЧЕТЫРЕ (ČETYRE)
5	ПЯТЬ (PÂT')
6	ШЕСТЬ (ŠEST')
7	СЕМЬ (SEM')
8	ВОСЕМЬ (VOSEM')
9	AND ДЕВЯТЬ (DEVÂT')
10	ДЕСЯТЬ (DESÂT')
11	ОДИННАДЦАТЬ (ODINNADCAT')
12	двенадцать (dvenadcat')

RUSSIAN GRAMMAR

Russian Nouns have three Genders: Masculine, Feminine & Neuter

1.   Masculine nouns are nouns end in a consonant (have Ø* ending in the Nominative case): **Иван, дом**.
2.   Feminine nouns are nouns end in the vowel -a in the Nominative case: **Анна, лампа**.
3.   Neuter nouns are nouns end in the vowel -o in the Nominative case: **окно**.

They are labelled as masculine gender as **м.р. (мужской род)**, feminine gender as **ж.р. (женский род)**, neuter gender as **ср.р. (средний род)**.

Exceptions
All nouns referring to men and boys are masculine, even though some of them end in **-a** or **-я**. For example: **папа** - dad, **дедушка** - grandfather, **дядя** - uncle, and many men's and boy's nicknames: **Миша, Серёжа, Ваня**, etc.

Note: There are concepts like hard stem & Soft stem we haven't dig dipper in it, to keep it simple & don't overwhelm kids or people.

Pronouns.
When it comes to pronouns, especially personal pronouns: **он** (he), **она** (she), **оно** (it), nouns of any gender can be replaced by personal pronouns.

1. The pronoun **он** replaces any masculine noun (**Иван, дом - он**).

2. The pronoun **она** replaces any feminine noun (**Анна, комната - она**).

3. The pronoun **оно** replaces any neuter noun (**окно - оно**).

Example:

This is tommy. He is Truck driver / **Это Томми. Он водитель грузовика**

This is a park. It is on the left / **Вот парк. Он слева.**

Russian pronouns are used in place of English "it"

Personal Pronouns

Я	I	МЫ	WE
ТЫ	YOU (SINGULAR)	ВЫ	YOU (PLURAL)
ОН, ОНА, ОНО	HE, SHE, IT	ОНИ	THEY

In Russian there are two different words for you: **ты** and **вы**.
вы used when you are reffering more than one person
ты used when you are reffering for one person

Nominative Plural Nouns

To form the nominative plural of most masculine and feminine nouns replace the nominative singular ending by **-ы** for hard stems and **-и** for soft stems.

"The" & "a"
In Russian there are no words for "The" & "a"

Communicative Quiz

I. How do you say "I don't know" in Russian?

    A. я не буду

    B. не знать

    C. Я не знаю

    D. Направо

2. How do you say "Help me" in Russian?

    A. помоги мне покормить мою кошку

    B. спаси меня

    C. Помоги мне, пожалуйста

    D. Помоги мне

3. How do you say "I love you" in Russian?

    A. Я тебя люблю

    B. Я тоже тебя люблю

    C. Я так сильно тебя люблю

    D. я ненавижу тебя

4. How do you say "The menu, please." in Russian?

    A. Я тоже тебя люблю

    B. Меню, пожалуйста

    C. пожалуйста, меню

    D. пожалуйста

5. Choose correct "**Я потерян**"

    a. Good bye

    b. Help me

    c. I'm lost

    d. see you later

6. How do you say 'Sorry'?

    A. **Где находится туалет?**

    B. **Извините**

    C. **Я потерял**

    D. **шелковистый**

7. How do you say "Good morning"?

    A. **До свидания!**

    B. **Добрый вечер!**

    C. **Добрый день!**

    D. **Доброе**

    E. **Доброе утро!**

8. How do you say "Hello"?

    A. **Пожалуйста**

    B. **Здравствуйте**

    C. **Спасибо**

    D. **Я не знаю.**

ANSWER

Guess (1)

hamster/ Хомяк (ho-mjak)

Guess (2)

Spider / Паук (pa-uk)
Ant / Муравей (mu-ra-vej)

GUESS THE CORRECT TRANSLATION

1. B. THE GRASS IS GREEN
2. C. TALL MAN

Match the following

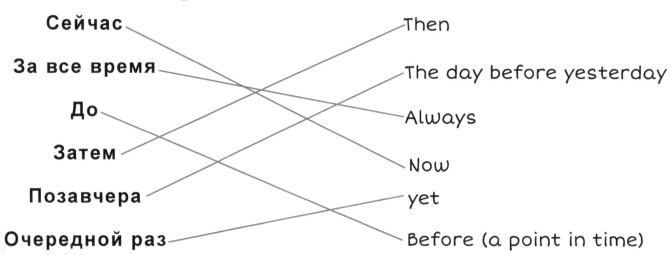

Сейчас — Now

За все время — Always

До — Before (a point in time)

Затем — Then

Позавчера — The day before yesterday

Очередной раз — yet

MATCH THE COLORS

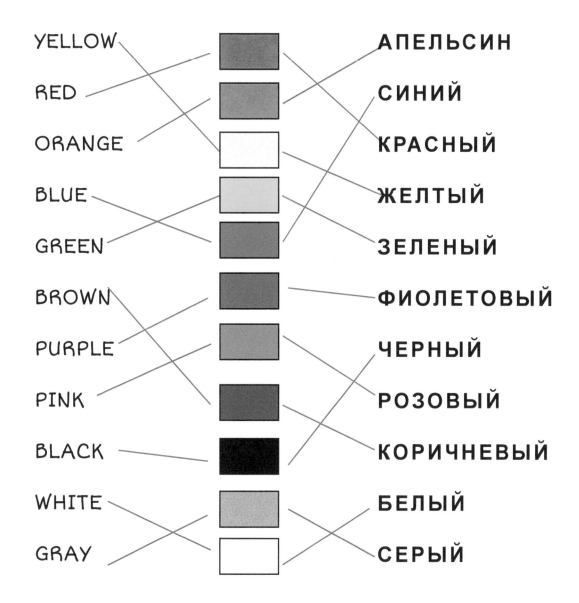

YELLOW	АПЕЛЬСИН
RED	СИНИЙ
ORANGE	КРАСНЫЙ
BLUE	ЖЕЛТЫЙ
GREEN	ЗЕЛЕНЫЙ
BROWN	ФИОЛЕТОВЫЙ
PURPLE	ЧЕРНЫЙ
PINK	РОЗОВЫЙ
BLACK	КОРИЧНЕВЫЙ
WHITE	БЕЛЫЙ
GRAY	СЕРЫЙ

Communicative Quiz

1. C   2. D   3. A   4. B   5. C   6.B   7.E

8.B

Printed in the USA
CPSIA information can be obtained
at www.ICGtesting.com
LVHW070845141123
763833LV00021B/264